图书在版编目（CIP）数据

仓颉造字 / 李健编绘 . — 乌鲁木齐 : 新疆青少年出版社 , 2016.11
（"故事中国"图画书）
ISBN 978-7-5515-8388-6

Ⅰ . ①仓… Ⅱ . ①李… Ⅲ . ①儿童文学—图画故事—中国—当代 Ⅳ . ① I287.8

中国版本图书馆 CIP 数据核字 (2016) 第 248520 号

First published in 2016 in English and Chinese by Better Link Press.
本书英汉对照版由上海新闻出版发展有限公司策划编辑。

"故事中国"图画书

仓颉造字　　　　　李　健 ◎ 编绘

出 版 人：徐　江　　　　　　策　　划：许国萍
责任编辑：许国萍　朱玉芬　王建江　　美术编辑：查　璇　薛雅心
法律顾问：钟　麟　13201203567（新疆国法律师事务所）

新疆青少年出版社　　Http://www.qingshao.net
（地址：乌鲁木齐市北京北路 29 号　邮编：830012）
北京博海升彩色印刷有限公司印刷　　全国新华书店经销

版　次：2016 年 11 月第 1 版　　　印　次：2017 年 4 月第 2 次印刷
开　本：787×1092　1/12　　　　　印　张：4
字　数：3 千字　　　　　　　　　印　数：6 001-11 000 册
书　号：ISBN 978-7-5515-8388-6　　定　价：32.00 元

制售盗版必究 举报查实奖励：0991-7833932　　版权保护办公室举报电话：0991-7833927
服务热线：010-84851485　　　　　　　　　如有印刷装订质量问题 印刷厂负责调换

李 健 ◎ 编绘

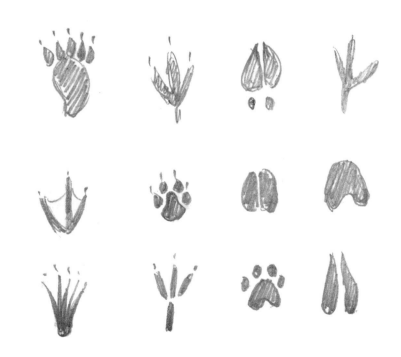

CHISO SINCE 1956 新疆青少年出版社

　　四千多年前，黄帝成为华夏部落联盟的首领。仓颉因为聪明能干，被黄帝选为史官，负责记录联盟中的大事小事。

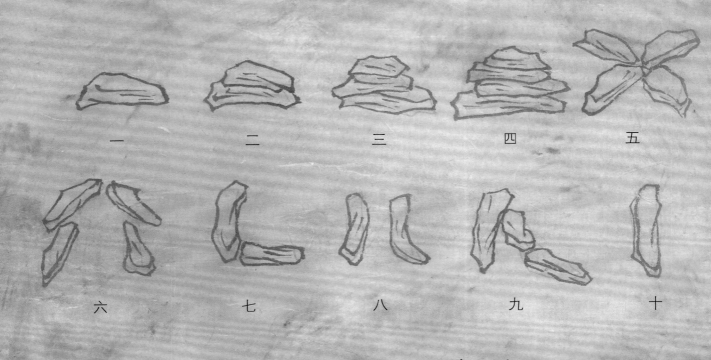

那时，还没有发明文字，更没有纸和笔，人们用堆石块的方法来记事。但是事情多了，石堆乱了，记录就不准确了。

于是，人们又发明了在绳子上打结的记事方法。绳结的不同系法代表不同的事情。然而，事情越来越多，结绳的方法也不够用了。

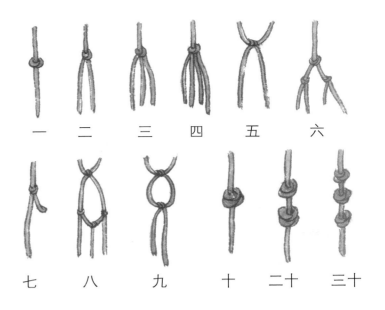

一　二　三　四　五　六

七　八　九　十　二十　三十

　　这时，仓颉又有了一个新发明。他把一些小物件，例如贝壳，系到绳结里，增加了结绳记事的准确性。这个进步让仓颉很高兴。

有一次，黄帝和另一个部落的首领蚩尤约好要商讨边界问题。没想到，仓颉的新记事方法出了错，致使黄帝错过了约定的时间。当黄帝他们到达约定的地点时，蚩尤已经离开了。

　　仓颉万分惭愧，虽然黄帝没有责怪他，但他还是辞去官职，立志要找到更好更准确的记事方法。

他走遍了山川河流，走过了春夏秋冬，
到处寻访智者，却一无所获。

　　一天，仓颉在路上看到一个猎人，好像在低头寻找什么。仓颉很好奇，便问他在找什么。猎人说，他在追捕野猪，如果找到野猪的脚印，就能知道野猪逃向哪里了。

　　地上有好多种动物的脚印，仓颉分辨不出哪些脚印才是野猪的。

　　猎人告诉仓颉："动物的脚印各有不同，我一眼就能看出来。"说完就去追赶野猪了。

猎人的话给了仓颉很大的启发。如果能根据每样东西的特征，画成形象的符号，让人们一眼就能认出来，这不就是很好的记事方法吗？

山

水

木

仓颉开始仔细地观察周围的
事物，创造记事的符号。

他用心观察天上的日月星辰，创造出这些符号：

云

日

月

星

他仔细揣摩地上的飞鸟走兽，创造出这些符号：

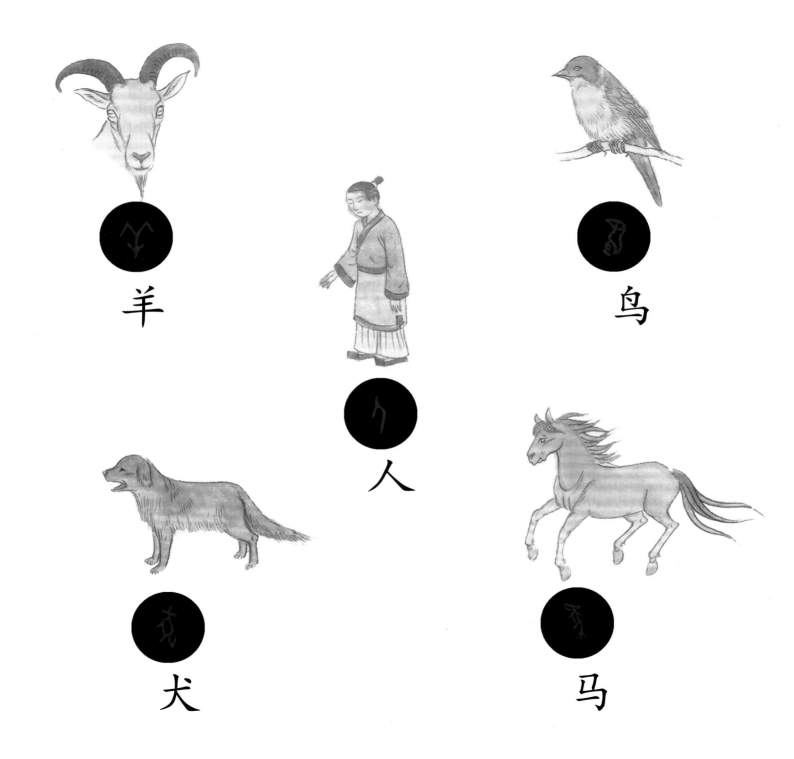

羊

鸟

人

犬

马

他认真比较事物的异同，创造出这些符号：

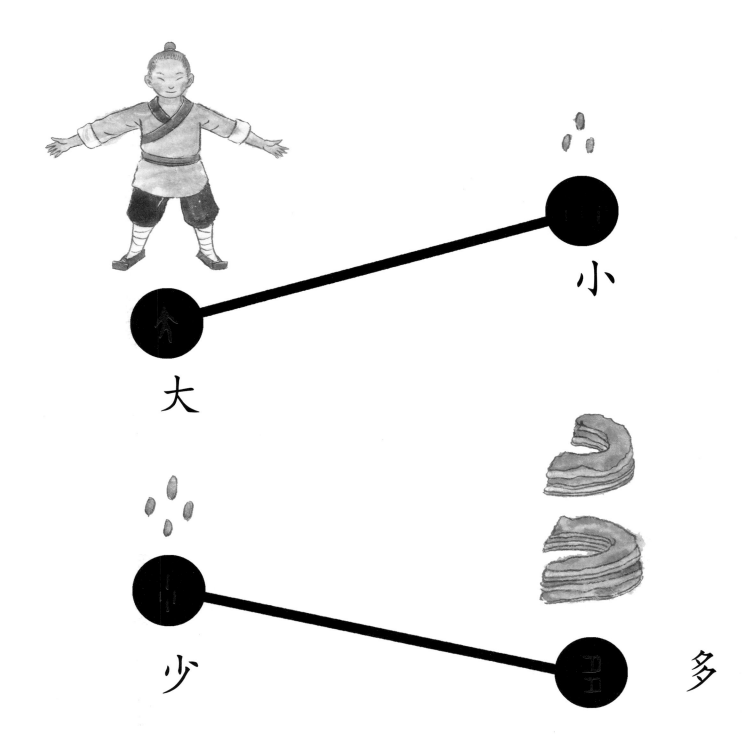

大　小

少　多

仓颉把自己创造的符号交给黄帝，黄帝非常高兴，把这些符号命名为"字"，还派他去各部落传授这种记事方法。

仓颉除了把造字的方法传授给大家，还鼓励大家一起来创造新字。

人们创造出的字越来越多，仓颉将这些字搜集、整理，又创造出了许多新字。比如用"人"这个字，创造出从、众、休、仔、伏等。

人

从

众

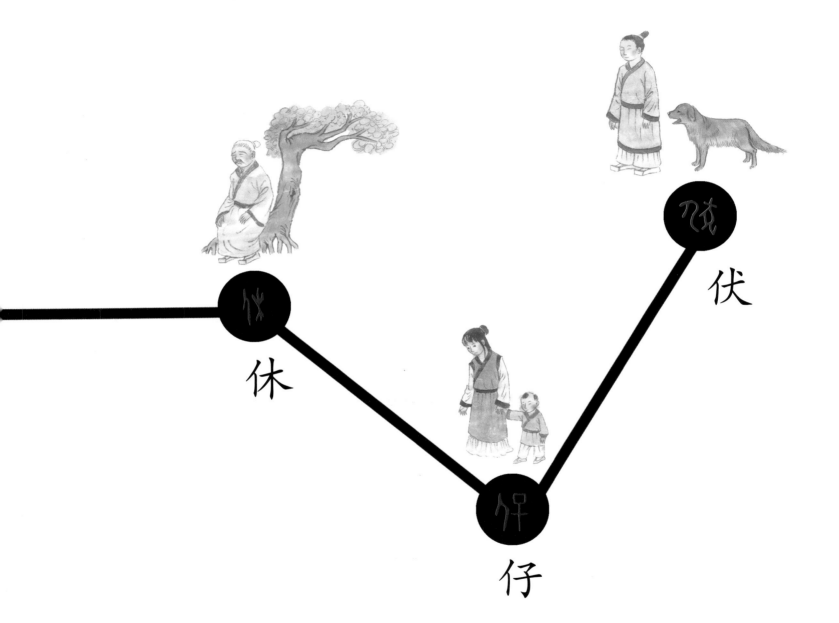

休

仔

伏

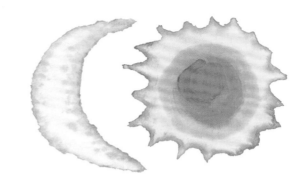

他还把造好的字组合在一起，变化出更多的新字。

明

夫

吠

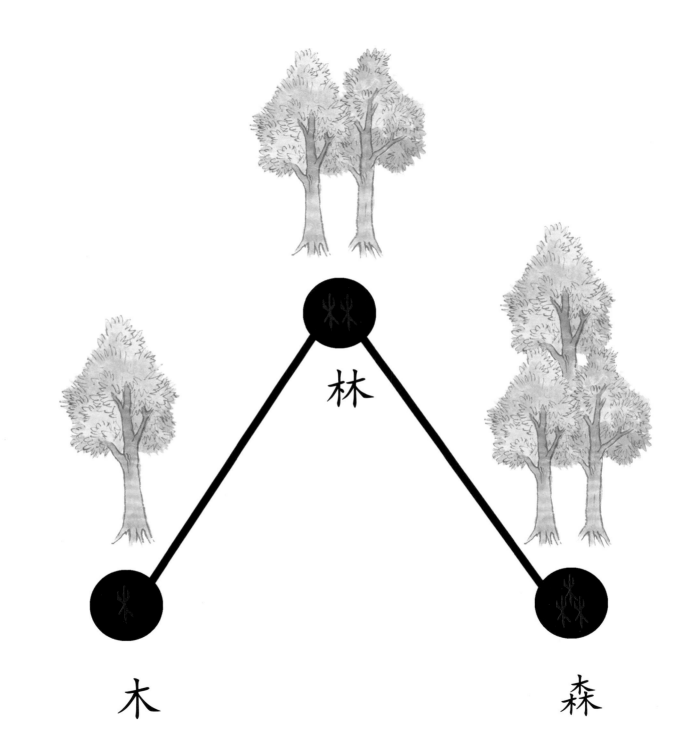

刻在陶器上

刻在动物骨头上

刻铸在青铜器上

　　字，就这样由华夏族一代一代地传了下去，并不断地扩充。华夏族后来发展成汉族，所以他们使用的字也被称为汉字。汉字是世界上最古老的文字之一，今天我们仍然在使用它。

写在纸上

写在竹简上

写在笔记本上

显示在电脑上

小知识

犬

羊

广义上的汉字已有 4000 多年的历史，是目前世界上仍在使用的最古老的文字。

月

日

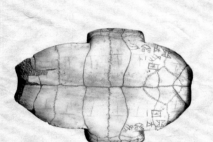

甲骨文是中国古人在 3000 多年前使用的文字。

汉字有多少个?《现代汉语词典》(第 6 版) 中收录了 13000 多个单字，其实常用的只有 2500 至 7000 个。

书法是书写汉字的艺术，常出现在国画上，起到画龙点睛的作用。

仓颉

传说中的黄帝的史官，被尊为造字圣人，他发明和整理了汉字，对我们中国人的贡献很大。他造的字一直用到了夏商周时期，后来就变成了我们现在用的字。

黄帝

姓姬，号轩辕氏。黄帝领导的华夏部落联盟后来发展成华夏族，一般认为，华夏族是汉族在古代的名称。

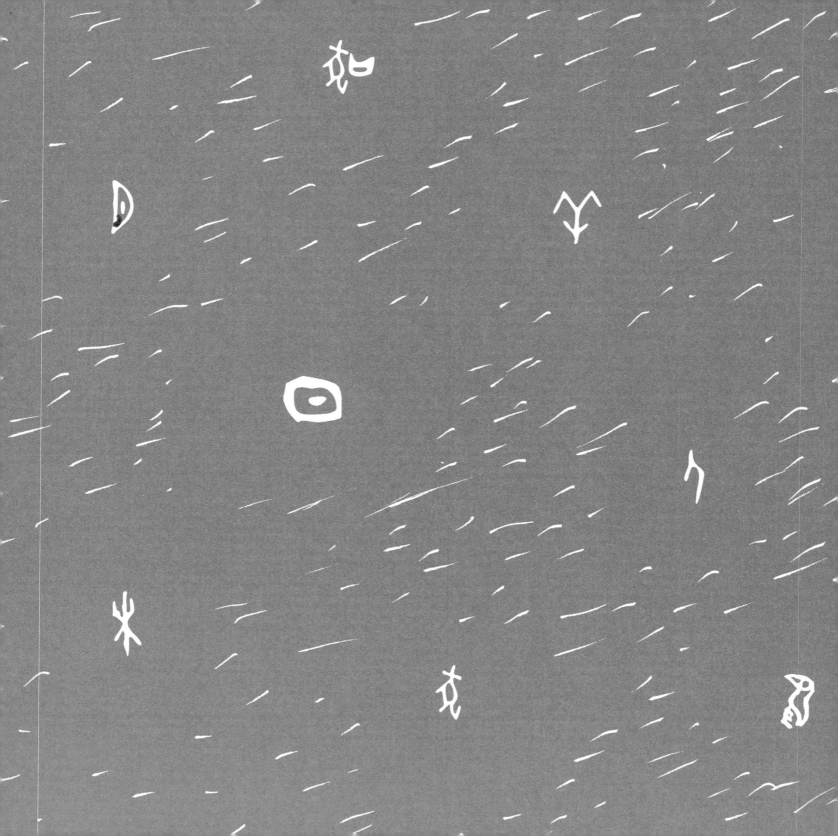